2023 | 지은이 최현식

2023.8.17 목요일

달빛에　　퍼지네
비치어　　밤달빛
드러나　　의소리
는마음　　느리게

내마음　　이어지
이그린　　는시간
오늘밤　　고요함
의모양　　머금네

반짝이　　오늘밤
는별빛　　내마음
과함께　　의낭만
휘영청　　이피어

동그란　　동그란
밤하늘　　내세상
동그란　　의시간
환한달　　느리게

밤달빛
그윽한
은은함
닿으며

2023.9.4 월요일

2023.9.4 월요일

2023.9.19 화요일

글자들

이리로
보아도
저리로
보아도

네글자
네이름
가까이
나에게

공중에
분해되
는글자
내눈에

네얼굴
떠올려
잠시정
지하네

너에게

2023.9.20 수요일

마음위
일렁이
는너의
보이스

나직한
코드로
연주하
는듯해

네소리
반짝이
는윤슬
같은지

너무자
연스레
부드럽
고깊네

너란시
간으로
엄지두
드리네

2023.9.21 목요일

해가지 　황홀한
려하니 　풍경에
아쉬움 　마음고
큰마음 　동치고

너에게 　시간은
달려가 　가을빛
붙잡아 　노을을
지금을 　밝히네

두눈을 　여여히
맞대고 　흐르는
마음을 　계절돌
전하니 　림노래

세상이 　사이로
환하게 　내마음
황금빛 　을끼워
을주니 　보낼까

　그럴까

2023.9.21 목요일

2023.9.21 목요일

2023.9.22 금요일

까닭없
을하늘
가을밤
그곳엔

티없는
바탕위
별빛점
점점이

두눈을
빛내어
그곳바
라보니

티없는
시간의
틈사이
찰나에

머무네

2023.9.23 토요일

고운빛
님으로
아침의
님으로

피어나
는모닝
고운마
음으로

2023.9.25 월요일

떠오르
는햇볕
달빛떠
오르듯

두눈꽉
가득히
한마음
한켠꽉

떠올라
널보는
일상의
그러함

부드러
운소리
로채우
는계절

이가을
의소리
내귓가
가까이

2023.9.26 화요일

부드러　무르지
운소리　않은부
맑고고　드러움
운소리　이있나

이하루　고운이
아침의　아침이
공기와　깨어지
같은지　지않게

여지없　속절없
는시간　는시간
그안의　고독하
무엇을　지않게

찾아헤　부드러
매이지　운소리
않는시　고운목
간으로　소리로

가겠네

2023.9.27 수요일

밤

밤의낭
만으로
나의낭
만으로

가을빛
밤하늘
바람에
날리는

너란낭
만으로
작은낭
만으로

멍하니
밤하늘
눈감고
밤하늘

별들바
라보네

2023.9.27 수요일

바람고
요하고
밤이잠
에드네

부슬부
슬가을
을알려
오는비

밤하늘
빼곡히
적시며
흐르니

이밤흐
르는지
멈추어
선건지

달빛기
다리는
한밤날
달래며

2023.9.29 금요일

마음달
달맞이
널불러
이밤을

고운모
양얼굴
달빛선
명한날

세상을
밝히며
마음을
밝히며

부드러
운빛깔
느린시
간으로

2023.10.1 일요일

이오늘
가을빛
햇살드
리우고

갈바람
살랑여
귓가에
닿으네

가을의
소리들
나무와
새소리

온가을
의떨림
그림자
짙어져

두눈을
채우네
선명한
색으로

높은하
늘위로
높은바
람으로

2023.10.1 일요일 오후

가을날
개울옆
농로를
타고서

패달을
저어가
을바람
맞으며

느리게
가을의
속도에
맞추어

시간을
잡으며
풍경을
담으며

그런다

소중한
이때가
순간을
지나며

2023.10.6 금요일

시

어제는 읊어대
오늘은 는소리
이렇고 이오늘
저렇고 의노래

밤시간 찰나를
그사이 찰나로
밤달빛 찰나는
그렇듯 찰나로

순간을 이어지
이으며 는글자
글자를 보내보
이으며 는반복

모든시 내마음
간무로 떠드며
돌리는 지나가
찰나들 는소리

2023.10.7 토요일

작고아
름다운
풍경이
눈앞에

자연스
런무엇
가을색
의조화

작은이
하루의
움직임
을배워

내마음
온가을
품으로
가까이

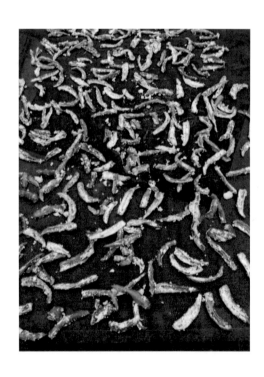

2023.10.9 월요일

부드러
운느낌
나그색
이좋아

사계절
의한때
널보니
반가워

나너의
품으로
가까이
다가가

너를만
져보고
너를바
라보고

따스한
가을빛
햇살에
놓여진

너를지
긋하게
마음포
근하게

2023.10.11 수요일

고즈넉
한가을
의풍경
안으로

더없을
기억의
한조각
오늘로

가을은
가을로
가을이
가을로

잔잔한
갈바람
나직이
가볍게

기억나
지않을
가을로
느리게

가까이

2023.10.11 수요일

갈바람
이불어
가을에
닿는날

포근한
갈볕에
마음을
말리며

어디선
가오는
서정의
목소리

가을볕
을타고
님이오
는소리

가을향
에취해
너에게
반하여

2023.10.13 금요일

가을빛
을보며
나널그
려보며

고운빛
고운생
각하며
그러며

바람이
불어그
바람이
날리며

가을머
금은시
글자두
드리네

톡톡톡

2023.10.15 일요일

아침안　　커피향
개지나　　한모금
볕들어　　에절로
좋은날　　좋은날

보드라　　오늘의
운바람　　이한때
부드런　　이볕에
새소리　　닿으며

두귓가　　잡고싶
어루만　　어지는
져주며　　이마음
울리네　　이일어

지나는　　오늘의
이시간　　한때로
이대로　　나는닿
멈추길　　아가네

2023.10.16 월요일

가을달
빛같은
고아한
볕들어

이하루
한낮을
느긋이
데우며

끝나지
않을빛
의여정
세계로

한때의
영원을
노래하
는가을

빛

2023.10.18 수요일

아침향
커피향
네무늬
네표정

부드러
운모닝
너를마
주하며

이런저
런생각
멍하니
그렇게

어느새
노랫소
리들려
가까이

가늘고
느리게
가늘게
멍하니

이아침
이주는
이아침
의낭만

2023.10.19 목요일

이가을
의소리
감미로
운리듬

은은한
선율에
이마음
을주며

박자에
맞추어
가볍게
움직여

네소리
와내가
하나로
제각각

다른지
같은지
흐르는
시간위

널불러
널그려
이가을
안으로

2023.10.20 금요일

볕좋은
어느날
내마음
말리며

너에게
기대어
보면서
그러며

하늘바
라보고
내자리
제자리

너를보
니좋아
좋은날
그러며

2023.10.21 토요일

반짝이   색색이
는햇살   다다른
그윽한   채색의
이가을   가을로

황금빛   울긋불
들녘은   긋모양
비어가   맺으러
쉼으로   가는길

저멀리   눈앞을
보이는   스치는
풍경은   여러색
그대로   과글자

무르익   그속에
지않은   네마음
가을을   가을마
보이네   음있네

가까이
가을에
가까이
너에게

2023.10.21 토요일

그리려
이오늘
가을빛
가을향

고즈넉
한풍경
고아한
글자들

맑은차
향타고
내게로
가까이

네얼굴
그리려
잠시멈
춰보네

2023.10.24 화요일

밤을바
라보네
너를바
라보네

고운빛
달빛에
머물러
보는밤

마음에
달빛의
마음을
그리는

달의고
운빛을
너의목
소리를

마음에
그리는
이달밤
라이크

2023.10.25 수요일

세글자
네이름
무어라
부를까

푸른가
을하늘
긴바람
이부네

가을아
침공기
깊숙이
들이며

네글자
세글자
를보네
부르르

떨리네

2023.10.27 금요일

부드러
운바람
이나를
스치네

부드러
운소리
너의목
소리가

조금씩
가까이
들바람
지나며

이가을
풍경이
선명히
빛나네

2023.10.29 일요일

이햇살
좋은날
그렇게
볕든날

부드러
운바람
살랑여
흔들고

느린시
고요로
냇물의
시간은

하루의
한조각
빛으로
빛나네

2023.10.30 월요일

어제달
그제달
오늘달
가까이

보름의
즈음에
달빛넉
넉하여

둥근빛
떠올라
달의시
간으로

환한빛
벗삼아
읊는시
간으로

2023.10.30 월요일

춤추는
바람의
움직임
사이로

고운빛
색으로
물들어
가는지

이계절
다가와
무어라
읊는지

가을공
기타고
마음설
레가며

2023.11.1 수요일

티한잔
과함께
아침을
들이네

느린듯
한시간
의사이
틈사이

이마음
의한켠
맑음을
부르며

귓가로
다가온
노래에
맞추며

이오늘
과나를
맞추며
그러네

2023.11.2 목요일

부드러
운바람
포근한
햇살이

감싸안
아주는
평안한
낮으로

이계절
연으로
가깝게
이어져

너를담
아가며
너를닮
아나를

들깨야

2023.11.7 화요일

이오늘
틈사이
를파고
든햇살

네고운
네빛에
날멈춰
맞으며

차가운
갈공기
온도감
에닿아

이계절
이가을
너와나
를이어

부드런
이볕에
나아가
머무네

2023.11.9 목요일

갈배추
가좋아
푸르른
너좋아

햇살결
이닿아
부드런
음영이

바람이
속삭이
는피리
소리로

가을꽃
자라니
어찌신
통한지

농부의
맘따와
글자를
지으며

2023.11.10 금요일

은은한
빛세상
널보며
길걸어

부드러
운곡선
흔들리
는바람

가을풍
경놀이
시골정
취속에

먼걷기
지나며
나의선
그리나

느린발
구불대
며나를
기르며

2023.11.15 수요일

짙은빛
살사이
마음이
열리어

날을바
라보고
이날을
그리며

잠깐잠
깐이어
지는빛
사이에

멈추어
보는날
빛살품
어맞네

2023.11.20 월요일

느린듯 　돌아가
오늘이 　는달빛
이어지 　의풍경
는시간 　의정감

어느새 　밤별빛
뜻모를 　노랫소
연으로 　리반짝
관계로 　여대며

부분이 　까만밤
조각이 　밝히는
이어지 　길잡이
며흘러 　자리로

조금씩 　밤의울
멈춘듯 　림소리
느리게 　돌고돌
여여히 　아가네

고운밤
의서정
잠시멈
춰보며

2023.11.24 금요일

들리네
소리가
부드러
운소리

이오늘
의소리
맑고고
운소리

나직한
목소리
이오늘
울리네

느리게
느리게
찬찬히
널보네

가까이
다가온
햇살같
은소리

2023.11.25 토요일

뜨끈한
방바닥
에누워
멍하니

무얼생
각하나
무얼그
려보나

다만그
칠수가
없는이
마음이

나아가
는길위
시간을
걷는다

2023.11.25 토요일

2023.11.28 화요일

부드러
운느낌
잠자리
에누워

밤하늘
을그려
이밤에
널그려

어젯밤
담았던
늦가을
보름달

동그란
널보며
한번더
널보며

부드런
달빛의
은은한
품으로

2023.11.29 수요일

밤하늘	달리네
의무늬	달리네
밤하늘	밤하늘
의소리	달리네
밤달빛	달빛이
움직인	달리네
어제의	구름빛
구름빛	달리네
밤빛선	느린듯
명하던	빠른듯
저하늘	공간을
의풍경	접으며
가만히	달구름
너에게	한밤을
정지해	헤치며
널보네	나가네

구름과
어울려
환하며
짙던밤

2023.11.30 목요일

그어느   널안아
때보다   두눈에
백색에   담아널
가까운   부르네

그어느   환한빛
달빛을   의인연
멍하니   닿은밤
보던밤   너에게

밤시간   달이밝
을밝힌   다하여
밤하늘   그렇게
의기억   널보며

동그란   설레며
낭만의   부끄러
빛한껏   워하며
뿌리던   널보네

2023.12.4 월요일

느린밤
가까이
멍하니
화면만

이어진
글자들
엮어진
이야기

한밤이
어보는
작은상
상으로

이밤고
요하여
글자놓
아보네

밤하늘
의바늘
달은어
디왔나

2023.12.6 수요일

방울방울
물방울들
빗물방울
잠시멈춰

이밤사이
시간바늘
정지한듯
빛을놓아

편안한듯
아름다운
깜깜한밤
밝히는지

별달그쳐
적적한때
참한모양
그려주네

2023.12.8 금요일

날으네
바람이
휘도네
낙엽이

바람의
결타고
하늘위
머물며

수초의
춤사위
갈바람
만끽해

어머나
날으는
물고기
같구나

잠시멍
하니저
바람오
고가네

돌아돌
아돌아
가네저
결잎이

2023.12.8 금요일

2023.12.9 토요일

2023.12.9 토요일

2023.12.15 금요일

어젯밤
에그려
보았네
내마음

을그려
널그려
보았던
어젯밤

의나로
잠시로
가만히
멈추어

해사한
마음모
양으로
가까이

2023.12.25 월요일

바람이　　내귓가
머물지　　넉가래
를않는　　박자로
겨울날　　소리로

바람결　　동그란
멈추어　　백색의
정지한　　동그란
어느날　　고요로

백색의　　은은한
눈빛이　　흰빛눈
이날을　　이두눈
환하게　　채우니

고요함　　낭만으
이가득　　로나를
이아침　　가까이
내리네　　너에게

고요로
날리는
흰눈의
정지로

2023.12.31 일요일

부드러
운소리
가귓가
를울려

가까이
그리고
느린시
간으로

너에게
가까이
오늘의
안으로

널보며
널그려
보는그
럼으로

하나의
선으로
연으로
부르르

2024.1.17 수요일

이어진
나날이
부르는
소리들

이어지
는시간
틈사이
를타고

너란시
를불러
고운빛
선으로

글자로
향으로
너에게
가까이

싶은시

2024.1.18 목요일

하나는   시작된
선이요   하나의
그선이   선으로
좋으니   이어진

나아가   밤하늘
선으로   별자리
하나로   선이은
가까이   연으로

하나는   너하나
한글자   떠올려
하나로   하나에
너에게   머물며

다가가   찰나로
맞닿아   오가는
하나를   내마음
맺으네   을보네

부드러
운달빛
의선을
그리며

2024.1.19 금요일

부드러
운바람
의결을
가까이

손끝에
와닿은
너의포
근함에

부드런
미소를
지으며
가까이

글자들
을불러
널그려
넣으네

손끝에
와닿은
바람의
결타며

2024.1.21 일요일

부르네
이오늘
의구름
벗되어

부르네
느린시
간으로
느긋이

정지인
지느린
시간위
를걸어

두눈가
득담아
느린시
를읊네

느리게
심상위
에글자
를놓네

2024.1.21 일요일

2024.1.22 월요일

날이라
부를까
날마다
다르니

네이름
부를까
달마다
다르니

날을날
로나를
달로이
어볼까

하나의
선으로
하나로
그럴까

날이라
부를까
나를날
을달을

날나를
날이라
달이라
그릴까

2024.1.27 토요일

2024.2.12 월요일

부드러
운햇살
이날을
날리네

봄의기
운으로
가까이
한걸음

고요한
햇살의
퍼짐이
만드는

봄바람
이부는
계절이
오려나

부드런
한때로
내사랑
한때로

2024.2.14 수요일

정지한   글자들
시간의   의미들
이어짐   소리들

나를만   상상의
나는시   너머를
간으로   그리며

머릿속   멈춘듯
떠도는   멍하니
글자들   정지한

어지러   이밤의
이머릴   한때를
오가네   보내며

봄으로
가까이
가는밤

2024.2.15 목요일

부르르
찬공기
봄비와
춤추네

추적추
적이며
눈발을
날리며

봄이오
는소리
계절을
돌리네

올해를
찾는봄
봄마음
안으로

귓가를
울릴까
봄을불
러볼까

2024.2.16 금요일

찌르르
마음에
울리는
그소리

울림에
떨리는
눈동자
흔들려

나를바
라보며
너를기
다리며

봄의기
억으로
봄의추
억으로

가까이
네이름
을불러
봄이라

2024.2.17 토요일

시간이 시간의
란무엇 축따라
무형의 나를정
것이라 렬하며

돌고도 문득문
는빛에 득너를
낮으로 생각하
밤으로 는나로

계절을 내안의
알리며 봄노래
쉼없이 은은한
돌리며 향으로

잠자는 지워지
법없이 지않는
잊은듯 그윽한
없는듯 빛으로

여전히
내마음
에날고
백하며

2024.2.18 일요일

2024.2.19 월요일

언제인　　부드러
지모를　　운결로
뛰는가　　내안자
슴으로　　리하는

파고든　　네모양
하나의　　이있어
빛으로　　너와마
숨결로　　주하며

아름다　　눈동자
운선이　　를보며
불러오　　설레임
는바람　　달래며

마음에　　오는봄
그려내　　정취를
는마음　　한껏품
이있어　　어보네

이세상
무엇이
피어오
르는맘

내안의
봄기운
에닿아
화할지

2024.2.20 화요일

내마음
에나를
누이며
기대어

이밤의
빗소리
서정에
멈추어

널불러
떠올려
이밤중
이으며

네정취
에취해
마주할
기대로

나를채
워보는
봄으로
가는밤

2024.2.21 수요일

내마음	날읊네
의글자	부드러
내마음	운어조
의노트	로읊네

별그린	내가날
달그린	그리워
널그려	내가날
이어진	어여뻐

이오늘	내마음
의글자	의노래
내마음	를불러
의모양	닿으려

내숨결	별달밤
이그린	담으려
내낭만	널고이
의소리	안으려

2024.2.22 목요일

안으네
이오늘
의나를
안으네

내마음
의달빛
여전히
빛발해

나를감
싸주는
이오늘
의나를

날내가
달네가
이오늘
을안네

안아보
네너를
달빛의
연으로

2024.2.22 목요일

흰눈을
안으며
두눈에
담으며

백색을
빛내는
백색의
이오늘

마음의
자리에
흰자리
를열어

백색의
도자기
이오늘
널보네

백색에
머물며
널보며
더맑게

2024.2.23 금요일

내마음
의낭만
널그리
는낭만

이오늘
나의손
끝맺흰
소리로

켜켜이
내소리
를울려
보내며

나의마
음닿아
그려진
심상에

동그랗
게맑은
차향을
전하네

2024.2.25 일요일

봄소리　　땅바닥
봄오는　　발자국
소리들　　진하게
려오네　　남기며

눈으로　　내모양
빗물로　　담으며
올해의　　내마음
봄오네　　녹이며

촉촉한　　계절의
습기로　　벽넘어
살랑이　　시계추
는바람　　를지나

결따라　　여전한
네가오　　운명의
는소리　　선내며
들리네　　봄오네

얼마를
기다린
네얼굴
반가이

떠오르
는달빛
봄얼굴
달맞이

2024.2.26 월요일

큰달빛
을쬐며
잠시널
만나며

난그냥
이런저
런생각
에드네

부드러
운공기
의질감
느끼며

평온한
몸과마
음으로
날보네

날이라
부를까
날마다
다르니

조금씩
다르니
날이라
달이라

2024.2.27 화요일

멈춘듯
느리게
조금더
느리게

내마음
의속도
느리게
조금더

계절의
변곡점
을지나
는날로

고요한
하루로
조금흥
얼대며

차한입
들이며
눈감고
느리게

2024.2.27 화요일

이세상　　가뿐한　　달빛의
이시간　　발걸음　　고요로
이시끄　　주저함　　환한빛
러우니　　그치고　　선으로

이나는　　잔잔히　　그런시
고요로　　불어오　　간으로
가겠네　　는바람　　나를놓
느긋이　　을맞아　　아가며

부드러　　고요한　　은은한
운모양　　풍요로　　달빛향
내마음　　무위의　　스며드
의모양　　절기로　　는날로

을따라　　시끄러　　아름다
에워싼　　운날을　　운풍경
소음멀　　곱고고　　그러한
리하네　　운날로　　곳으로

나를데
려가며
밝은빛
선으로

2024.2.28 수요일

부드러　　그냥정
운소리　　지한듯
이오늘　　내모양
목소리　　을하며

눈떠도　　이오늘
감아도　　이세계
여전한　　마주해
그소리　　늘보며

내마음　　보다큰
의평온　　눈으로
한찰나　　더욱커
지나네　　진마음

청량한　　내가나
새소리　　를안아
어딘가　　깊게안
들리네　　아주네

내품에
안기어
나를나
에게로

2024.2.28 수요일

그언제   자연의
였던가   원리에
부드러   고개끄
운바람   덕이며

따스한   지적호
그햇살   기심에
내품에   미소를
네품에   지으며

두눈바   고운마
라보며   음으로
깊은사   눈빛을
랑으로   빛내던

세상을   시간의
시간을   초월속
나누며   부드러
그러며   운바람

바람이
좋았네
난네가
좋았네

2024.2.28 수요일

고요한　나의선
미소로　을찾아
명상같　나홀로
은날로　오롯이

조금더　기쁜마
조금더　음으로
선으로　조그마
이어진　한조각

넓고많　내생각
은세상　의조각
의소리　귀한것
를들어　임알아

나의목　작은생
소리를　각으로
내가나　내세상
를불러　밝히네

내마음
의밝은
시간을
이으며

2024.2.29 목요일

그언제
였던가
풍경소
리들려

가만히
평안한
맘으로
가만히

들리네
바람의
소리두
귓가에

들리네
내마음
오늘과
공명하

는소리

2024.2.29 목요일

그언제
였던가
바람이
휘도네

내마음
의소리
글자와
공명해

떨리는
내안의
무언가
울리네

눈동자
에맺흰
글자를
들이며

센바람
이일어
내손끝
스치네

2024.2.29 목요일

진한커   봄바람
피향과   부는지
은은한   내맘설
차향을   레는지

마음속   가로등
깊이들   조명에
이며보   도조금
내는날   들뜨며

깊은달   세상의
밤으로   복된아
가고싶   름다운
어지는   지금을

그런날   내안에
그런밤   차곡차
으로날   곡쌓아
가까이   그렇게

그런날
지금이
내시간
진풍경

2024.3.1 금요일

찬바람　　시끄럽
슬쩍이　　던계절
스쳐지　　이지나
나치네　　는소리

삼월의　　고요한
기운과　　풍경내
맞닿아　　맘에그
애쓰네　　려보며

여전히　　한적한
찾아오　　마음의
는봄이　　자리엔
가까이　　평온이

부드러　　시끄럼
운낭만　　없애는
의그봄　　밝은빛
이오네　　큰소리

로나를
빛나는
봄빛을
그리네

2024.3.2 토요일

2024.3.3 일요일

부드러　　봄달빛
운네게　　어떠한
난그냥　　소리로
달그냥　　오는지

나직한　　가만히
목소리　　내귓가
같은이　　를돌려
하루로　　정지해

달밤의　　이오늘
서정에　　네소리
곤히잠　　들으려
들어날　　애를써

꿈나라　　내마음
별나라　　봄달꽃
로가는　　향기로
밤으로　　화하길

안온한
봄세계
로가는
봄여정

2024.3.4 월요일

내마음에봄이봄꽃들이피어

부드러운공기의질감을알아

그리허허롭지않은시간으로

감싸안아주며눈감고맞으며

봄꽃기다리며마음설레이며

시간을지나마주하는지금이

봄을품에안고봄에입맞추며

내마음피어나네게고백하는

봄이라는마법의순간으로날

2024.3.5 화요일

부드러　고요란　심호흡　생각들
운차향　시끄러　두어번　그치고
에미소　움없는　공기들　손을놀
지으며　조화로　오가고　려보니

고요한　유무의　몸과마　손따로
한생각　조화로　음살펴　맘따로
으로날　이바람　나를멈　그저어
정지해　그치게　추고서　지럽네

생각의　날따라　마음에　태만한
선타고　길따라　그렸던　이나를
길게이　걷고걷　밤하늘　탓하며
어가며　다보니　별달빛　꾸짖고

고요한　내가날　마음의　부드러
내세상　시끄럽　붓들어　운차를
의풍경　게하여　다시그　입술에
그리네　멈추고　려보네　적시네

차향은
은하여
한생각
이으며

2024.3.6 수요일

정지한	고요로	정지한	정지로
시간속	운시간	찰나와	주어진
그안에	비할수	찰나를	백색의
멈추네	가없는	이으며	판위에

압축한	나의시	시간을	마음껏
시간의	간으로	이겨내	내마음
덩어리	나의세	는시간	을그려
를보며	상으로	의서사	선그려

미소를	더할수	시간의	느리게
지으며	가없이	도화지	느리게
홀로상	그저느	를보며	느린시
상하며	릿하게	고요로	간으로

느려진	어제와	무얼그	세상을
시간의	오늘을	려볼까	다른시
선위나	이은시	생각에	각으로
를보네	간으로	잠기네	널보며

정지로
시간을
주제로
이으며

2024.3.6 수요일

○

내오늘　　내오늘　　마음이　　고요속
의우주　　의하나　　쉬는곳　　한생각
내얼굴　　점으로　　마음쓰　　을이어
의모태　　하나로　　이는곳　　그리고

이시간　　이마음　　형용할　　마음의
을곱게　　끝없을　　수없는　　한조각
고운마　　마음의　　감정의　　꺼내이
음으로　　겹으로　　정점에　　어보네

이시간　　더이상　　내얼굴　　고운님
을멈춰　　이없을　　이있어　　내님얼
이오늘　　영원속　　내마음　　굴보여
을멈춰　　찰나라　　이있어　　눈감아

눈감아　　마음을　　어찌할　　무어라
하늘을　　크게떠　　수없는　　할말을
그리니　　얼굴바　　모자름　　못찾고
내얼굴　　라보네　　탓하고　　안기네

달밤의　　이오늘　　마음을　　내마음
둥근달　　이어진　　다하여　　의우주
에안겨　　소리를　　오늘을　　품에안
보는밤　　내뱉네　　부르네　　겨보네

2024.3.7 목요일

목소리　　공기는　　무거운　　부드러
이오늘　　평온해　　시간에　　운울림
이부르　　햇살고　　기지개　　이오늘
는소리　　요하고　　를켜고　　퍼지니

내마음　　나른한　　무음의　　나직한
가운데　　눈빛으　　소리에　　숨소리
내마음　　로오늘　　내마음　　를뱉어
이부른　　불러봐　　을맞춰　　고요로

이오늘　　한가로　　나의노　　부드러
의소리　　운몸짓　　랫소리　　운나로
숨소리　　느린걸　　생각의　　느린듯
와같아　　음으로　　떨림에　　한걸음

들리지　　태평한　　내가나　　가까이
가않아　　이날의　　를아껴　　오늘나
잠시멈　　흐름에　　나의시　　가까이
춰듣네　　맡기네　　간으로　　가보네

무얼상　　날서지　　나를잠　　가까이
상으로　　않은감　　재우고　　내얼굴
두눈껌　　각으로　　나를알　　을보고
뻑이며　　무디게　　게하여　　날알길

바라네
우주의
한조각
내맘을

2024.3.8 금요일

가까이 내오늘 에나를 비추네	내가나 를보며 내모양 을감싸	내마음 의조절 작은스 위치를	내마음 나따라 날따라 다달라
이오늘 내아침 의모양 마주해	나를안 아주는 이오늘 내모양	내글자 에달아 나를내 가알게	때로는 달같아 때로는 때로는
고요한 내모양 평정의 한때로	나의모 양따라 다달라 나따라	나를지 켜주고 나를성 장하게	내마음 이나를 이끄는 당기는
부드러 운모양 찻잔바 라보네	나의모 양으로 하루시 작하네	내마음 의글자 나를읊 게하네	그런곳 별하나 를두어 빛나게
때로는 과하게 때로는 덜하게	나를나 에게로 나의모 양으로	이시간 을담아 내두눈 에담아	나의시 간으로 나를부 드럽게

2024.3.9 토요일

이아침　　부드러
포근한　　운날의
햇살을　　고요한
즐기네　　새소리

영상으　　맑은공
로가는　　기질감
봄볕에　　내코끝
맡기며　　숨쉬며

내마음　　한껏이
을풀어　　마음을
이오늘　　펼쳐너
에닿네　　를안네

아름다　　뜨거운
운한날　　포옹으
봄볕의　　로오늘
정취로　　을안네

나를안
아주는
봄햇살
을안네

2024.3.11 월요일

멈추어	느리고	부드러	귓가에
보는것	고요한	운가락	들리는
멈춤의	시간의	마음의	고요의
초밀도	초월로	운율로	파장이
나아가	시간위	음률의	날멈춰
지않는	노니는	선을팅	눈감아
나아감	용틀임	겨시간	시간을
의미학	절기로	을짓고	잊게해
켜켜이	무한의	천년의	마음이
쌓여진	이어진	기다림	숨쉬는
시간속	자유속	오동나	고요의
덩어리	정제로	무가락	풍경들
나아가	멈추어	시간을	작은마
지않는	시간을	가르고	음으로
용기로	불러노	고아한	진풍경
나아감	래하네	소리로	을담네

내마음
의밀도

2024.3.12 화요일

달바람 불던날 고요속의풍월
가슴에 닿은빛 마음에 피어나
달의연인으로 달의마음으로
끝나지 않은시작으로 가는길

시간이 멈춘듯 달빛흐르는데
달빛의 향기가 시간위 놓이네
세상의 끝아닌 끝으로 나아가
부드러운바람 고운빛 퍼지니

내마음 정지로 달에이어보며
영원같은찰나 시간의 틈으로
달빛이 지을세 상풍경 그리며
절로미소짓고 생각이 멈추고

문을연 달의고운모양을담네
달의광채피어 달꽃핀 한때로
달빛의 동그란 붓으로 그리네
시간만이돌아 시간을 잊으네

달보며 심심파적으로 날읊네

2024.3.12 화요일

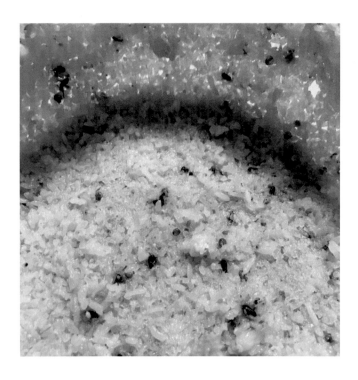

2024.3.13 수요일

부드러　부르네　내마음　기다린
운소리　이봄날　머무는　봄날의
의울림　달밤에　이달밤　봄꽃향
을듣네　피는꽃　품으며　그리며

나직한　이밤의　그리움　포근한
그소리　꽃으로　을안아　햇살로
그리운　코끝에　이밤을　감성가
설레임　닿는향　안으네　득날로

부드런　깊고그　봄밤이　산들바
소리로　윽하여　시작되　람으로
마음사　이밤을　는계절　눈부신
로잡는　잊으며　을따라　계절로

봄밤의　환한빛　마음을　변치않
그소리　꽃으로　봄날의　을마음
마음에　봄달밤　주파수　봄마음
닿으네　채우네　에맞춰　꽃으로

봄은봄
빛으로
나는날
빛으로

달밤에
피는꽃
봄날에
피는달

2024.3.13 수요일

2024.3.14 목요일

달밤고　　마음고　　저기저　　돌고돌
요하고　　요하게　　동그란　　아오는
나도고　　요동치　　동그라　　동그란
요하네　　는마음　　미달아　　마음빛

달밤이　　봄달빛　　둥근빛　　달밤의
불러밖　　밝은달　　선으로　　멈춤없
나가나　　가까이　　가까이　　는회전
멍하니　　닿으니　　맺으니　　약속이

아무생　　밝지않　　나따라　　이오늘
각없는　　을도리　　둥근마　　의조각
텅빈생　　가없어　　음크게　　빛나는
각으로　　숨쉬고　　키우며　　고요로

밤별빛　　나를고　　달따라　　큰밤의
자리올　　요한빛　　고요한　　벗으로
려선에　　점으로　　서정을　　너를그
머무네　　정하여　　배우네　　려보네

달아
내마음
이어진
식적아

2024.3.14

2024.3.15 금요일

달에게 가까이 고요의 빛으로	한밤의 풍경을 보며읊 조리네	내마음 어디에 달빛을 놓을까	밤하늘 새벽달 을보며 숨멈춰
마음을 꺼내어 날보며 달보며	비움의 제자리 절기로 부르네	내마음 자리에 달빛에 덧대어	순간이 정지해 하늘올 려보네
내가달 빛받아 내가달 빛으로	달밤의 정취에 취하는 밤으로	글자를 놓으며 한날을 부르네	고요로 빛으로 오가는 마음달
마음껏 달노래 호흡을 내뱉네	부드러 운달빛 마음자 리하네	달빛이 그리는 고아한 마음을	이오늘 의노래 소리를 내보네
지지않 는달꽃 부르네 달빛꽃	다시봄 달빛꽃 이피어 부르리	밤하늘 달빛을 나직이 부르리	고운마 음으로 달노래 부르네

2024.3.15 금요일

2024.3.17 일요일

시간앞　긴시간　시간의　시간에
아름다　부르는　흐름속　못겨워
움이란　목소리　고아해　흩어지
무얼까　의울림　져가는　는것들

작은시　맑고부　오래된　한때로
간속에　드러운　목가구　다하는
다가오　긴여운　결의아　시간위
는순간　의소리　름다움　의조각

커다란　순간의　이어지　시간을
시계추　조각과　는마음　이겨내
앞에작　조각의　이어지　오롯한
아지고　이어짐　는시간　존재로

빛바랜　선위에　기억으　나의곁
작은꽃　그려지　로남을　머물러
시들어　는감정　시간의　주는마
가는지　있는지　빛으로　음으로

시간의
선위에
걸음을
놓으네

2024.3.18 월요일

봄바람이나를슥스쳐지나네
볕쬐니한없이좋은걸이어찌
봄바람이부니옷깃을여미고
네가무엇이라봄을기다리나

봄이다가오는소리들볕소리
향기를품었나봄바람결사이
내몸은봄볕가득받아들이고
매해돌아오는자명종봄소리

따스한온기를품은널안으며
살랑살랑이며묵은때지우나
잔잔하려하는마음의틈사이
울릴것을알아우리의만남이

나를갖으려해봄바람의나를
온전한계절로봄이오는소리
봄의설레임이날아드는한때
봄맞이로가는오늘고요롭네

봄바람이불어나는날아가네
나를나에게로나를봄에게로
마음가는봄볕에나를말리며
익어가는계절로나를날리네

2024.3.19 화요일

차향은　　고운빛　　퍼지는　　밝은빛
은하게　　깔품어　　향기가　　님오네
퍼지는　　내맘에　　이끄는　　봄으로
아침에　　담기나　　이시간　　꽃으로

네생각　　고운빛　　부드럽　　바람사
차향생　　선으로　　고느린　　잇길을
각하며　　내게다　　곡선의　　지나봄
넘기네　　가오나　　선으로　　꽃으로

맑은빛　　부드러　　이오늘　　차향깊
색품은　　운온도　　울리는　　어지는
네얼굴　　고요에　　청량한　　나의시
지그시　　머물게　　소리로　　간으로

널보며　　살랑이　　오늘의　　이어지
그리며　　는봄에　　한때를　　는순간
생각에　　차향을　　나누고　　의느낌
잠기네　　들이네　　배우네　　을잇네

이오늘
향기가
시간위
를나네

2024.3.20 수요일

마음으　　날카로　　해지고　　이하루
로내가　　운선들　　이바람　　를생각
가려고　　어지러　　머무는　　차향을
마음을　　운곡선　　이시간　　들이네

끝모를　　시끄러　　빗물오　　부드러
끝으로　　움그쳐　　려하나　　운곡선
끝아닐　　이마음　　어두워　　고요의
끝으로　　고요로　　진하늘　　선으로

시작된　　여백과　　바람으　　고요롭
한마음　　농담의　　로비로　　지않아
을이어　　부드러　　오늘기　　고요로
되뇌며　　운풍경　　록하나　　나가며

이세상　　안으로　　시간정　　바람들
을담아　　봄산책　　지한듯　　이불어
돌리며　　즐기는　　움직임　　그침기
굴리며　　상상을　　사라져　　다리네

마음에　　점하나　　너와나　　이어진
점하나　　를더해　　점으로　　선으로
찍으니　　선으로　　선으로　　이잠시
맘대로　　그렇게　　그렇게　　고요로

2024.3.21 목요일

나를나
에게로
밤깊은
시간위

이밤의
도화지
내마음
그리는

내마음
의시간
이어가
는때로

내마음
의자리
에나를
그리며

수평의
소리에
마음을
누이며

내마음
의종이
를내어
널보며

때때로
느리게
고요로
멍하게

이밤의
고요속
생각에
빠지며

눈감고
부드러
운고저
소리에

느린시
간지금
느린호
흡으로

숨도쉬
지않는
잊는시
간으로

나의공
간안에
나의시
간채운

나를나
에게로
나의생
각으로

손끝을
움직여
한글자
한선을

작은시
간으로
작은마
음으로

나의세
상으로
나를나
에게로

곱고아
름다운
마음을
지으며

잠시날
멈추며
엔분의
엔으로

작은마
음속에
작은마
음으로

곡선의
선으로
마음을
그리네

2024.3.28 목요일

내마음　　달이밝　　부드러　　내마음
이쉬어　　다하여　　운빛에　　이쉴곳
가는곳　　밝나가　　마음고　　온전한
빈자리　　멍하니　　요하여　　휴식처

저별빛　　고개들　　작은목　　달빛에
의자리　　어보니　　소리로　　기대어
저달빛　　까만밤　　내마음　　오늘은
의자리　　청명달　　소리로　　기대어

내마음　　내마음　　작게널　　이날을
의자리　　가운데　　부르고　　부르고
를채운　　포근한　　마음껏　　우리를
조각들　　달있어　　널그려　　노래해

쉬어가　　느린걸　　내마음　　달빛향
는자리　　음으로　　에그려　　꽃으로
빈공간　　너와걸　　넘치게　　온밤을
내마음　　어가네　　널그려　　채울까

그런상
상으로
생각을
돌리며

2024.3.29 금요일

내마음이나를 어찌해야할까　작은내마음의 공간의 빈자리　부드러운빛에 은은한 네빛에　그냥아는마음 달빛보았을때

내마음달빛을 들여온자리에　내생각의허를 꺼내어보지만　빠지어오래전 모르게너에게　그랬어내마음 담담한그러함

네마음도함께 자리한자리에　커지지않는내 공간의자리에　고운빛담은너 그저찬란하여　그냥알것같은 달빛마음퍼져

내가있어나를 이나를어쩔까　달빛네마음을 담을까어떨까　닿은빛내마음 설레여좋았네　이마음에울려 떨리는소리들

그럴까달빛의 마음에이을까　내오늘을쓰며 내마음그리며　작은상상으로 마음을돌리며　동그란마음을 곱게놓아보네

2024.3.31 일요일

내마음　　이봄찾　　한낮따　　온기가
눈앞에　　아오는　　스하게　　득으로
펼쳐진　　작은새　　바람여　　시간으
풍경들　　들소리　　유롭게　　로향해

고즈넉　　곡조잠　　오늘을　　오늘을
한시간　　시들려　　수놓아　　맞대어
한낮의　　계절떠　　봄고요　　이봄과
볕시간　　올리고　　로가고　　나누며

봄의소　　아침맞　　기쁜마　　때맞아
리들로　　아오는　　음들어　　찾아온
가득채　　청설모　　봄의길　　봄의시
워지는　　를보며　　걸으며　　간으로

한봄의　　그냥그　　봄의꽃　　봄의낭
한때로　　러하게　　피어날　　만으로
나를데　　눈에담　　그날을　　정취로
려가네　　아보네　　그리네　　가까이

오늘을
오늘로
나를데
려가네

2024.4.4 목요일

사랑하는달아
은은한달빛아

사랑하는달아
내마음달빛아

사랑하는달아
내상상의달아

아름다운봄볕
싱그러운색들

밤하늘에피는
밤시간의봄아

부드러운소리
낮은목소리로

봄달빛휘영청
꽃가지사이로

마음속달빛들
이피어멈추어

만개한송이로
내마음멀게한

온밤을채우고
이날을비추는

돌고돌아오는
님달빛에취해

이마음에멈춰
너에게정지로

네빛가득하여
눈감고그린다

환한빛얼굴아
못잊을그리움

내가나를잊고
내가달을잊네

멈추어보는밤
달빛의아래에

희미한달그림
자나를내게로

이밤은달의길
을걸어네게로

하얀밤달의꽃
봄으로환하게

깊어진밤으로
달보며잊으네

내가날여월로
이마음달뜨네

2024.4.5 금요일

네달빛　　고요한　　느린달　　이날을
이오늘　　이한밤　　의시간　　느리게
이밤날　　의소리　　밤의낭　　저달만
환하여　　달소리　　만으로　　보는날

이마음　　돌아가　　깊고부　　온전히
내마음　　는소리　　드러운　　너에게
이밤날　　달의빛　　고운빛　　내가날
취하여　　선내며　　을내어　　잊는밤

너를바　　내두눈　　밤의시　　달빛시
라보고　　의초점　　간세계　　간으로
너를기　　너에게　　달의평　　마음이
억하고　　맞추어　　화로움　　기운밤

봄달빛　　보았다　　밤달빛　　달의마
환한달　　그리다　　의소리　　음알아
빛나아　　보았다　　고요의　　나를달
름다워　　그리다　　달소리　　에잇네

달의서
정으로
서사로
잇는밤

2024.4.7 일요일

봄기운　　간간이　　벗꽃만　　그냥멍
완연한　　들리는　　발하여　　한이날
한낮의　　새소리　　봄을수　　봄날을
중심점　　가있고　　놓으며　　봄날로

더운기　　자동차　　봄을특　　널그냥
운으로　　한가히　　징하고　　봄으로
한낮이　　지나는　　꽃잎이　　날그냥
날으네　　고요로　　알리고　　봄으로

바람이　　한때로　　그런봄　　느린시
어느새　　봄날의　　의날에　　간속에
다가와　　한적한　　세월풍　　마음을
스치며　　한때로　　경보며　　멈추며

봄노래　　그냥그　　한점에　　좀더느
포근한　　러하게　　한날의　　린시간
볕노래　　이시간　　한때를　　멍한시
부르네　　굴리네　　지나네　　간으로

부드러
운햇살
볕에날
더하며

2024.4.11 목요일

달그래 　바람불 　달빛의 　달그래
발그래 　지않는 　선따라 　너그래
마음이 　정지한 　띄어보 　밤하늘
뜨는밤 　시간속 　내보며 　의마음

날그래 　또렷한 　이오늘 　돌아가
달그래 　달빛의 　나를내 　는시간
바람이 　마음이 　낭만의 　찰나가
이는밤 　닿는밤 　한날로 　찰나라

봄바람 　무엇도 　시간을 　의미로
불어와 　상상하 　정지해 　아름답
달빛슥 　지않고 　달빛떠 　던때를
스치면 　멈추는 　올리며 　지나며

내마음 　너에게 　이으며 　이때를
도따라 　정지한 　내마음 　곱씹어
달빛에 　내마음 　찰나를 　내품에
스치네 　을이어 　이으며 　담으네

별들찬 　달노래 　봄계절 　이좋아
란한밤 　달그래 　틈사이 　눈감고
내마음 　마음이 　비치는 　널그려
별뜬밤 　어본밤 　봄햇살 　보는밤

2024.4.12 금요일

봄의길 　기다린 　이어지 　백색의
안으로 　고요로 　는봄볕 　우아함
떠나보 　작은시 　의사이 　가득한
는여행 　간오고 　널보며 　봄꽃잎

불어오 　설레임 　꽃봄잎 　고아한
는바람 　의향이 　환하여 　자태를
의결이 　피어나 　차올라 　머금은
흐르네 　오르니 　머무는 　나무들

나날이 　떠오르 　물들어 　활짝핀
포근함 　는시간 　가는시 　꽃무리
한가득 　마음을 　간으로 　봄찰나
더하며 　간질여 　가까이 　시간속

고운햇 　널보는 　날리는 　천생연
살빛이 　이오늘 　봄기운 　분으로
세상을 　에취해 　꽃바람 　어울려
나직이 　보는날 　을보네 　화하네

찰나가 　만개한 　쌓여지 　삶의곡
찰나라 　환함이 　는찰나 　선으로
아름다 　화사로 　꽃잎휘 　찬란한
운때로 　움으로 　날리듯 　빛으로

2024.4.13 토요일

흰나비	흰나비	투명한	내마음
가날고	한쌍이	마음이	도화지
민들레	온밭을	절로일	위에널
홀씨도	노니는	어나는	그리며
날리네	봄풍경	순간에	오늘도
봄바람	의완성	날멈춰	그리며
들녘에	그림같	곰곰이	가만히
날리네	은이날	머물고	정지해
따스한	꽃잎들	고요의	백색위
이봄에	날리듯	바다로	에그린
마음을	고운선	날데려	흰나비
맡기고	그리며	멈추어	를보네
하늘한	팔랑이	내마음	해사한
번보고	며나네	색으로	빛으로
봄을꺼	날개을	백색의	봄을그
안으네	저으며	선으로	려내는
나비너	시간이	시간을	나를황
를보며	어지며	잊는시	홀으로
한때가	날개짓	간으로	널보며
멈춘듯	쫓으며	나되어	달뜨며
널보고	라이크	흰나비	나비나
그리는		를삼아	비날아
난참좋		벗삼아	휘돌아
았었네		부르네	오르네

글그림그리고편집 최현식崔鉉植
삼성전자어필텔레콤케이티테크. 한국특허전략개발원.

2024.4.13

별로부터
직선으로
이어진시
별달널
이으며
배우며

널그려
벗삼아
부르며
내글자
를적네

| 2023 | 125 |

별로부터 직선으로 이어진시 12

발 행 | 2024년 4월 17일

저 자 | 최현식

펴낸이 | 한건희

펴낸곳 | 주식회사 부크크

출판사등록 | 2014.07.15.(제2014-16호)

주 소 | 서울특별시 금천구 가산디지털1로 119 SK트윈타워 A동 305호

전 화 | 1670-8316

이메일 | info@bookk.co.kr

ISBN | 979-11-410-8124-9